## membres de la famille

L'apprentissage de la lecture est l'une des réalisations les plus importantes de la petite enfance. La collection *Je peux lire!* est conçue pour aider les enfants à devenir des lecteurs experts qui aiment lire. Les jeunes lecteurs apprennent à lire en se souvenant de mots utilisés fréquemment comme « le », « est » et « et », en utilisant les techniques phoniques pour décoder de nouveaux mots et en interprétant les indices des illustrations et du texte. Ces livres offrent des histoires que les enfants aiment et la structure dont ils ont besoin pour lire couramment et sans aide. Voici des suggestions pour aider votre enfant avant, pendant et après la lecture.

### Avant

Examinez la couverture et les illustrations, et demandez à votre enfant de prédire de quoi on parle dans le livre.

Lisez l'histoire à votre enfant.

Encouragez votre enfant à dire avec vous les formulations et les mots qui lui sont familiers.

Lisez une ligne et demandez à votre enfant de la relire après vous.



### Pendant

Demandez à votre enfant de penser à un mot qu'il ne reconnaît pas tout de suite. Donnez-lui des indices comme : « On va voir si on connaît les sons » et « Est-ce qu'on a déjà lu un mot comme celui-là? ».

Encouragez l'enfant à utiliser ses compétences phoniques pour prononcer d'autres mots.

Lorsque l'enfant a besoin d'aide, lisez-lui le mot qui pose un problème, pour qu'il n'ait pas trop de mal à lire et que l'expérience de la lecture avec les parents soit positive.

Encouragez votre enfant à lire avec expression... comme un comédien!

### Après

Proposez à votre enfant de dresser une liste de mots qu'il préfère.

Encouragez votre enfant à relire ses livres. Il peut les lire à ses frères et sœurs, à ses grands-parents et même à ses toutous. Les lectures répétées donnent confiance au jeune lecteur

Parlez des histoires que vous avez lue répondez à celles de votre enfant. Part personnages et des événements les plu intéressants.

J'espère que vous et votre enfant allez aim



Francie Alexander,
spécialiste en lecture
Groupe des publications
éducatives de Scholastic

Données de catalogage avant publication
de la Bibliothèque nationale du Canada

Bridwell, Norman
Clifford et la parade d'Halloween

(Je peux lire. Niveau 1)
Traduction de: Clifford and the Halloween parade.
Pour enfants de 3 à 6 ans.
ISBN 0-439-98679-6

I. Duchesne, Christiane, 1949- II. Title. III. Collection.

PZ23.B75Cl 2001 j813'.54 C2001-900949-6



Édition publiée par Les éditions Scholastic, 175 Hillmount Road,
Markham (Ontario) L6C 1Z7.

5 4 3 2 1 Imprimé au Canada 01 02 03 04 05

NORMAN BRIDWELL

# Clifford[MD] et la parade d'Halloween

Je peux lire! — Niveau 1

Texte français de Christiane Duchesne

Les éditions Scholastic

Clifford aperçoit une chauve-souris.

Clifford voit un chat.

Clifford voit un rat.

C'est l'Halloween!
Comment sera déguisé Clifford?

Un garçon arrive, portant une échelle.

Une fille arrive, portant un boyau d'arrosage.

Le garçon apporte un gyrophare.

Et puis, le voilà avec un imperméable,
un casque et des bottes.

Arrive ensuite la petite fille avec,
elle aussi, un imperméable,
un casque et des bottes.

Ils grimpent sur le dos de Clifford.

Clifford est déguisé en voiture
de pompiers.
Le garçon et la fille sont
les pompiers.

La parade va bientôt commencer.

PARADE
D'HALLOWEEN
AUJOURD'HUI!

PARADE
D'HALLOWEEN
AUJOURD'HUI!

Le garçon, la fille et Clifford ouvrent
la parade.
Arrivent ensuite la chauve-souris,
le chat et le rat!

Joyeuse Halloween à tous!

# • Liste de mots •

aperçoit
apporte
arrive
aujourd'hui
bientôt
bottes
boyau d'arrosage
casque
c'est
chat
chauve-souris
Clifford
commencer
déguisé
dos
échelle
ensuite
est
fille
garçon
grimpent
gyrophare
Halloween
ils
imperméable
joyeuse
le
parade
pompiers
portant
rat
se
sont
sur
tous
tuyau
un
une
voilà
voit
voiture de pompiers